天气
变变变

U0199113

[英]哈里亚特·布朗多 / 文　[英]德鲁·林图 / 图　王珏 / 译

南京师范大学出版社
NANJING NORMAL UNIVERSITY PRESS

天气
变变变

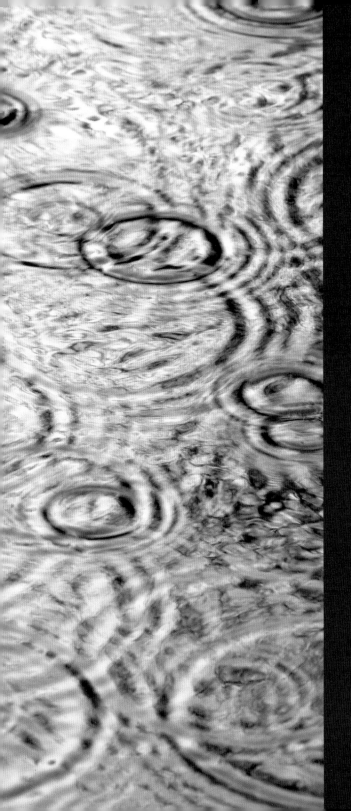

目录

**粗体字请参见
第24页词语表**

雨

水滴从空中飘落，下雨啦。

如果阳光照在正在下落的雨滴上，天空就会出现彩虹！

雨是怎么来的？

雨滴

原来，温暖、潮湿的空气升到高空，会变冷凝结成小水滴。小水滴从空中落下，就变成了雨。

雨落到地面，有的渗入泥土，
有的汇集到一起。

雨水坑

水循环

阳光

水蒸气

阳光照在水面上，会让一部分水分蒸发，变成水蒸气。

水蒸气升上高空，遇到冷空气，会再凝结成雨滴落下来——这就是水的循环。

雨

雨和季节

一年有春、夏、秋、冬四个季节。

春

夏

冬

秋

每年的一月、二月和十二月是冬天，是下雨最多的季节。*

一月						
周日	周一	周二	周三	周四	周五	周六
	2	3	4	5	6	7
	9	10	11	12	13	14
	16	17	18	19	20	21
	23	24	25	26	27	28
	30	31				

二月						
周日	周一	周二	周三	周四	周五	周六
		1	2	3	4	
	6	7	8	9	10	11
	13	14	15	16	17	18
	20	21	22	23	24	25
	27	28	29			

三月						
周日	周一	周二	周三	周四	周五	周六
			1	2	3	
4	5	6	7	8	9	10
11	12	13	14	15	16	17
18	19	20	21	22	23	24
25	26	27	28	29	30	31

四月						
周日	周一	周二	周三	周四	周五	周六
1	2	3	4	5	6	7
8	9	10	11	12	13	14
15	16	17	18	19	20	21
22	23	24	25	26	27	28
29	30					

五月						
周日	周一	周二	周三	周四	周五	周六
	1	2	3	4	5	
7	8	9	10	11	12	
14	15	16	17	18	19	
21	22	23	24	25	26	
28	29	30	31			

六月						
周日	周一	周二	周三	周四	周五	周六
					1	2
	4	5	6	7	8	9
11	12	13	14	15	16	
18	19	20	21	22	23	
25	26	27	28	29	30	

七月						
周日	周一	周二	周三	周四	周五	周六
	2	3	4	5	6	7
	9	10	11	12	13	14
	16	17	18	19	20	21
	23	24	25	26	27	28
	30	31				

八月						
周日	周一	周二	周三	周四	周五	周六
		1	2	3	4	
	6	7	8	9	10	11
	13	14	15	16	17	18
	20	21	22	23	24	25
	27	28	29	30	31	

九月						
周日	周一	周二	周三	周四	周五	周六
					1	
3	4	5	6	7	8	
10	11	12	13	14	15	
17	18	19	20	21	22	
24	25	26	27	28	29	

十月						
周日	周一	周二	周三	周四	周五	周六
	1	2	3	4	5	6
	8	9	10	11	12	13
	15	16	17	18	19	20
	22	23	24	25	26	27
	29	30	31			

十一月						
周日	周一	周二	周三	周四	周五	周六
			1	2	3	
	5	6	7	8	9	10
	12	13	14	15	16	17
	19	20	21	22	23	24
	26	27	28	29	30	

十二月						
周日	周一	周二	周三	周四	周五	周六
						1
	3	4	5	6	7	8
	10	11	12	13	14	15
	17	18	19	20	21	22
	24	25	26	27	28	29
	31					

*注：这里说的是英国的气候，夏季天气晴热，雨水较少；冬季日照短，雨水最多。

其他三个季节也会下雨。

夏季的天气最为温暖和干燥，雨水最少。*

*注：我国的降水规律是夏季多雨，
　　冬季少雨，和英国刚好相反。

下雨天穿什么？

下雨天，为了不被雨水淋湿，
我们会打伞、穿雨衣。

雨衣

雨靴

为了让双脚保持干爽，我们会穿上雨靴。

植物

植物生长离不开水。下过雨，我们就不需要再给植物浇水了。

有些植物生长在干旱缺水的地方。

仙人掌

仙人掌可以
把水储存在茎里，
就算一连好几个月
不下雨也没关系。

动物

动物需要水来维持生命。野生动物喝的是积在地面上的雨水。

有些动物不喜欢下雨。它们会找地方躲雨，防止被淋湿。

洪水

如果雨水过多，就会形成洪水。

沙袋

洪水非常危险，我们会筑起堤坝来保护自己。

你知道吗？

雪花

水还会变成雪从天空落下。当雨滴凝结成冰晶，就形成了雪！

最常见的雨是阵雨和蒙蒙细雨。阵雨的雨滴下落速度快，雨量大；蒙蒙细雨的雨量小，持续时间长。

词语表

潮湿：含有的水分比较多。

凝结：气体变成液体，或液体变成固体。

洪水：由大雨或融雪引发的河流水量暴涨。

堤坝：一般用沙袋垒成，用来防水、拦水。

索引